Rosette **Poletti** et Barbara **Dobbs**
Photographies Pierre **Poletti**

Philosophie du coquelicot

Prendre soin de soi pour prendre soin de l'autre

Perles
de **jouvence**

Des mêmes auteurs aux Éditions Jouvence

Petites fleurs du cœur pour grandir au fil des jours, 2009
Comment se dire adieu..., 2009
Petit cahier d'exercices d'estime de soi, 2008
Petit cahier d'exercices du lâcher-prise, 2008
Plénitudes, 2007
Ressources, 2006

Catalogue gratuit sur simple demande

Éditions Jouvence
France : BP 90107 – 74161 Saint-Julien-en-Genevois Cedex
Suisse : CP 184 – 1233 Genève-Bernex
Site internet : **www.editions-jouvence.com**
Mail : info@editions-jouvence.com

© Éditions Jouvence, 2010
ISBN 978-2-88353-767-5

Nouvelle édition actualisée et augmentée de
Prendre soin de soi pour prendre soin de l'autre
paru en 2003

Photos de Pierre **Poletti**

Maquette de couverture et intérieur : **Éditions Jouvence.**

Sommaire

« Si vous voulez parvenir au bout de vous-même,
méfiez-vous surtout de tout ce qui isole,
de tout ce qui rejette, de tout ce qui sépare.
Chacun dans votre ligne, pensez et agissez universel,
c'est-à-dire total. »

Pierre Teilhard de Chardin

Introduction

Il existe des milliers d'ouvrages qui traitent du comportement humain, des moyens de vivre pleinement au milieu des autres.

De toutes les pages lues et de plus de cinquante ans d'expérience de l'accompagnement de personnes qui souffrent dans leur santé physique, mentale et spirituelle, et d'enseignement de ceux qui se mettent au service des autres, nous avons voulu résumer, en quelques mots ce qui, aujourd'hui, pour nous, donne sens à cet accompagnement.

C'est en toute humilité que nous vous proposons de parcourir ce que nous avons nommé la « voie du coquelicot ».

La voie du coquelicot

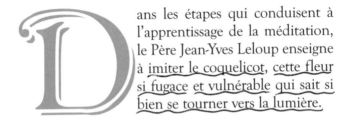

ans les étapes qui conduisent à l'apprentissage de la méditation, le Père Jean-Yves Leloup enseigne à <u>imiter le coquelicot</u>, <u>cette fleur si fugace et vulnérable</u> qui sait si bien se tourner vers la lumière.

Il nous est apparu que cette humble fleur pouvait servir de symbole non seulement pour <u>apprendre la méditation</u>, mais aussi pour <u>apprendre à prendre soin de soi et à prendre soin de l'autre</u>.

Pourquoi le coquelicot ?

Parce que cette fleur est frêle et vulnérable et pourtant, elle se tient droite, dressée vers le ciel.

Elle est d'une couleur intense, elle est pleinement elle-même.

Elle fleurit partout où ses graines se posent, du champ de blé au pierrier, des bords de la route à la profondeur des grandes prairies.

Elle est capable de trouver ce qu'il lui faut dans la terre où elle s'enracine, elle n'a pas besoin d'arrosage ni d'engrais, elle accueille les pluies du ciel.

Elle ne craint pas le soleil ni l'aridité.

Elle embellit n'importe quel lieu où elle fleurit.

Elle sait s'effacer lorsqu'elle a donné ce qu'elle était appelée à donner.

C'est pourquoi nous vous invitons à considérer cette « voie du coquelicot », apte à prendre soin de vous et à prendre soin des autres.

Aider les autres
Prendre soin des autres
Soigner les autres
Écouter les autres
Accompagner les autres
Diminuer la souffrance des autres
Participer à guérir les autres
Éduquer les autres
Enseigner les autres

Nous sommes tous appelés, d'une manière ou d'une autre, à participer à cette grande aventure, à cette immense responsabilité.

Qu'il s'agisse de nos enfants, de nos parents, de nos proches, d'amis,
qu'il s'agisse de nos clients, de nos patients, de nos résidents,
qu'il s'agisse de nos élèves, de nos étudiants, de nos apprenants,
qu'il s'agisse de nos bénéficiaires, des personnes aidées, des écoutés,
quel que soit le nom que l'on donne à l'autre, à celui avec qui je suis en relation,
personnellement ou professionnellement, cette relation m'interpelle.

Comment vivre cette relation ?

omment prendre soin de moi dans cette relation pour que je puisse réellement prendre soin de l'autre, c'est-à-dire être capable de lui offrir un espace dans lequel il puisse croître, se transformer s'il le désire et guérir s'il le peut ?

Comment puis-je vivre cette relation avec l'autre de manière à ce que lui et moi puissions avancer vers plus d'humanité ?

Prendre soin de soi pour prendre soin des autres

ontrairement à ce que l'on a trop souvent enseigné, prendre soin des autres, c'est tout d'abord apprendre à prendre soin de soi.

C'est devenir libre et unifié, c'est devenir un vrai interlocuteur, un humain complet qui ne se perd pas dans la relation à l'autre, qui s'accepte avec tout ce qu'il est.

C'est un chemin à parcourir qui comprend cinq grandes étapes :

- Prendre la responsabilité de la qualité de sa vie.
- Achever les situations qui ne le sont pas.
- Lâcher prise des regrets et de la culpabilité.
- Identifier et supprimer les obstacles à son propre développement.
- Développer sa dimension spirituelle et son enracinement dans le sens que l'on donne à sa vie.

Prendre la responsabilité de la qualité de sa vie

En tant qu'êtres humains, nous n'avons pas de pouvoir sur les grands événements de notre vie. Nous naissons un jour d'un couple de parents quelque part dans le monde à une certaine époque, nous sommes confrontés à des drames, des catastrophes, des deuils, des maladies, mais aussi des joies profondes et nous mourrons à un certain âge et d'une certaine manière.

Nous passons beaucoup de temps à nous demander :
« Pourquoi les événements sont ce qu'ils sont ? »

Jusqu'au jour où nous acceptons que la seule question à se poser, c'est :
« Qu'est-ce que je peux faire avec cela ? »

En d'autres termes :
« Comment puis-je utiliser ce qui m'arrive pour croître, pour apprendre ? »

Au cœur des événements, chaque personne doit décider comment elle va les vivre, comment elle va les interpréter.

Chaque personne doit décider si elle va dire **oui** ou si elle va dire **non** aux demandes qui lui sont faites, aux choix qui lui sont proposés, aux opportunités qui se présentent.

Prendre soin de la qualité de sa vie, c'est apprendre à honorer ses propres limites.

C'est reconnaître que l'on a besoin de temps pour soi, de repos, de ressourcement, de contact avec la nature, la beauté.

C'est savoir que, lorsqu'on ne prend pas en compte ses propres besoins, on court le risque d'utiliser les autres, ceux dont on veut prendre soin, comme « excuses » pour ne pas se prendre soi-même en considération.

Honorer ses propres limites, c'est encore reconnaître que l'on n'a pas toujours toutes les compétences nécessaires pour prendre soin de l'autre, qu'il est important de savoir demander de l'aide à certains moments.

Prendre la responsabilité de la qualité de sa vie, c'est savoir renoncer à certaines relations, c'est savoir dire :

« Stop ! J'arrête ici, j'accepte mon impuissance à continuer cette relation, j'accepte de laisser l'autre suivre son propre chemin, même si c'est un chemin que je ne comprends pas ou qui, à mon avis, n'est pas le bon. »

Prendre la responsabilité de la qualité de sa vie, c'est cesser de se sentir victime des autres, des situations, des événements, c'est décider et agir en se respectant totalement.

Parvenir à achever les situations qui ne le sont pas

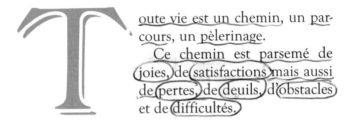

Toute vie est un chemin, un parcours, un pèlerinage.

Ce chemin est parsemé de joies, de satisfactions mais aussi de pertes, de deuils, d'obstacles et de difficultés.

Pour pouvoir avancer sur ce chemin, il est indispensable de savoir traverser les difficultés, les deuils, de les vivre avec les émotions que l'on ressent plutôt que de mettre une carapace autour de son cœur.

Prendre soin de soi, c'est oser exprimer ce que l'on vit, c'est accepter ses regrets et ses ressentiments, c'est apprendre à lâcher prise, à pardonner pour déposer au fur et à mesure les fardeaux de la route.

C'est encore s'enraciner, accepter d'être ce que l'on est, accepter de venir d'où l'on vient.

C'est se réconcilier avec son passé, avec ce qu'on est, avec son corps, avec son apparence, avec ses compétences, avec ses qualités et ses défauts, avec ses savoirs et ses ignorances, avec ses valeurs et ses doutes.

C'est pouvoir dire chaque matin :

« Je m'accepte. »
« J'accepte qui je suis, ce que je suis. »

Lâcher prise des fausses culpabilités

Au fond de chaque être humain, il y a cette conscience d'être fragile, incomplet, vulnérable.

Les aléas de l'enfance peuvent renforcer ce ressenti. Les critiques, les manques d'amour, les abandons réels ou ressentis, les mauvaises expériences scolaires ou familiales contribuent à créer une culpabilité inutile chez de nombreuses personnes.

Pour faire face à ce ressenti pénible, une solution semble toute trouvée : devenir aussi parfait qu'on peut l'être. Devenir le meilleur, ne s'autoriser aucune erreur, être « conforme » à ce que les autres attendent, être fort, ne pas demander d'aide, faire plaisir, surtout faire plaisir ! Bref, être parfait !

Ainsi naît le perfectionnisme, cette entrave qui alourdit la vie !

Prendre soin de soi, c'est repérer ce mécanisme et décider de se donner de nouveaux messages :

« Tu as le droit d'être toi ! »

« Tu as le droit de commettre des erreurs
qui peuvent être transformées
en expériences d'apprentissage ! »

« Tu as le droit de t'affirmer,
d'honorer tes propres limites
et de te faire plaisir à toi aussi ! »

« Tu as le droit de te prendre
en considération ! »

Identifier puis enrayer les obstacles à sa propre croissance

Parmi ces obstacles, il y a les failles dans l'estime que l'on se porte à soi-même.

L'estime de soi comprend deux aspects complémentaires :
- la conviction intime d'avoir de la valeur en tant que personne,
- la perception d'une compétence personnelle.

Croître, se développer personnellement, cela requiert une bonne estime de soi, parce qu'une bonne estime de soi permet de se percevoir compétent et digne de respect.

Au contraire, avoir une mauvaise estime de soi, c'est ne pas se sentir digne de vivre pleinement, c'est croire que l'on n'est « pas assez bien » ou que l'on n'a pas droit au bonheur.

Prendre soin de soi, c'est chercher et utiliser tous les moyens possibles pour augmenter son estime de soi-même.

C'est développer la capacité de s'affirmer, c'est s'exercer à regarder le verre à moitié plein et à exprimer sa gratitude, c'est oser prendre des décisions.

Lorsque la confiance en soi-même augmente, de nombreuses craintes disparaissent, les perceptions que l'on a de soi-même se modifient.

On a l'impression que le monde va mieux. En fait, c'est nous-mêmes qui allons mieux et voilà que notre perception du monde se transforme.

Développer sa dimension spirituelle, son enracinement dans le sens de la vie

Prendre soin de soi, c'est prendre soin des grandes interrogations qui nous habitent :

- Pourquoi suis-je né ?
- Quel sens donner à ma vie ?
- Y a-t-il un Dieu ?

- Pourquoi le mal ?
- Pourquoi devrai-je mourir ?
- Qu'y a-t-il au-delà de la mort ?
- Suis-je aimé ?
- Comment puis-je vraiment aimer ?
- Comment développer un lieu de paix à l'intérieur de moi-même ?

Ces questions qui surgissent disparaissent parfois, puis ressurgissent lors d'un deuil, d'une maladie grave, d'une période de déprime, elles doivent être prises en compte.

C'est dans une spiritualité liée ou non à une religion que se trouvent quelques réponses et surtout la force de vivre avec la présence du Mystère.

Prendre soin de soi, c'est « s'écouter », c'est écouter ce qui se vit, au fond de nous, c'est découvrir cette flamme qui a besoin d'être nourrie, d'être entretenue par la beauté, la créativité, le partage, la nature, la méditation, la prière, la musique, la lecture de beaux textes, le silence, l'amitié et l'amour.

C'est en prenant soin de la dimension spirituelle en nous que nous pouvons nous préparer tout particulièrement à prendre soin des autres sans attentes et sans projets sur eux.

Prendre soin de l'autre

Lorsqu'on prend soin de soi (car cela ne s'arrête jamais !), on devient toujours plus prêt et plus apte à prendre soin de l'autre, parce que ce n'est plus un « devoir », une « charge », une « obligation morale », une « profession », mais parce que cela devient une joie, une occasion de partager, de recevoir et de donner.

Prendre soin de l'autre ne représente plus un pansement que l'on collerait sur sa solitude ou sur sa peur de la finitude.

Prendre soin de l'autre devient un privilège, un chemin de vie, la réponse à un appel intérieur.

Prendre soin de soi permet de réellement s'orienter vers la personne de l'autre, sa liberté, son bien-être, son évolution, aussi bien que vers mon évolution, ma cohérence.

De mon orientation dépend ma santé psychologique et spirituelle, donc ma compétence en tant qu'aidant.

C'est pourquoi j'ai besoin de veiller constamment sur mon orientation, sur l'orientation de mon esprit, de mon cœur, de mon âme, en me souvenant que :

- l'on devient ce que l'on pense,
- l'on devient ce que l'on regarde,
- l'on devient ce que l'on écoute,
- l'on devient ce que l'on aime.

Il est donc essentiel de vivre conscient, de choisir ce que l'on regarde et ce que l'on écoute, de s'entourer de beauté et d'harmonie, afin d'avoir en soi cette beauté et cette harmonie pour pouvoir l'offrir à l'autre.

Prendre soin de l'autre, cela suppose de devenir conscient de cinq grands éléments :

- Prendre soin de soi.
- Clarifier ses motivations à prendre soin de l'autre.
- Prendre soin de l'autre, c'est avant tout l'inviter à prendre soin de lui-même.
- Prendre soin de l'autre, c'est donner de l'importance au regard que l'on pose sur cet autre.
- Prendre soin de l'autre, c'est lâcher prise de toute attente, c'est consentir parfois à l'impuissance et au total respect de la volonté de l'autre, même lorsqu'on ne comprend pas ses choix.

Clarifier ses motivations à prendre soin de l'autre

On peut être conduit par des moti-vations diverses lorsqu'on prend soin de l'autre :

- On peut chercher à oublier son angoisse existentielle en se rendant utile, en trouvant de quoi s'occuper.
- On peut tenter de calmer un sentiment profond de culpabilité.
- On peut désirer être reconnu par les autres ou aimé par eux.
- On peut tenter d'utiliser le contact avec l'autre pour pallier un manque que l'on ressent au fond de soi.

Toutes ces motivations ne constituent pas un pro-blème, lorsqu'on les reconnaît, lorsqu'on est lucide.

Prendre soin de l'autre, totalement inconditionnellement, ce n'est probablement pas possible, car même si l'on y parvient à certains moments, on ressent une forme de joie et de communion dans la relation à l'autre qui constitue une récompense. Deux sortes de motivations font cependant obstacle à la vraie capacité de prendre soin de l'autre :

- Tout d'abord, la codépendance, cette propension à instaurer une relation de contrôle sur l'autre, basée sur la croyance qu'il n'est possible d'être heureux qu'en exerçant un contrôle strict sur soi, sur les autres et sur l'environnement. La relation de codépendance est souvent instaurée par des personnes qui ont souffert dans leur milieu familial durant leur enfance et qui ont un besoin absolu d'amour qu'elles croient pouvoir recevoir par celui ou celle qu'elles contrôlent.

• **Le besoin de pouvoir,** de prendre le pouvoir sur l'autre, constitue le deuxième grand obstacle à la possibilité de réellement prendre soin de l'autre. L'autre est autre, il restera à jamais un mystère. Prendre soin de l'autre, ce ne peut être que l'accompagner là où il veut aller. Ce n'est jamais le diriger, le contrôler ou l'entraver sous quelque prétexte que ce soit.

Prendre conscience, reconnaître ses motivations à prendre soin de l'autre, c'est une démarche essentielle pour tout aidant.

Aider l'autre à prendre soin de lui-même

C'est lui accorder de l'attention, le « regarder » en prenant conscience de ce que mon regard transmet.

Or mon regard peut inviter, mon regard peut soutenir, mon regard peut guérir parfois. Mon regard peut aussi repousser, enfermer, dévaloriser.

Celui qui veut prendre soin des autres prête attention à son regard, à ce qu'il regarde et à comment il regarde.

Ce qu'il doit regarder surtout c'est ce qui, chez l'autre, est hors d'atteinte de la maladie et de la mort. C'est ce qui est sain, ce qui est beau, ce qui est bon.

L'attention qu'il porte à ce qui est sain, beau et bon chez l'autre et en lui-même, fait grandir cette partie en l'invitant à advenir.

C'est aussi l'écouter vraiment sans critique, sans jugement. C'est écouter ce qu'il dit et ce qu'il ne peut pas dire. C'est donner de l'importance à ce qu'il partage et valoriser ce qu'il apporte à la relation.

C'est l'aider à voir en lui tout le potentiel qui s'y trouve. C'est l'inviter à entrer en contact avec tout ce qui est précieux et vivant à l'intérieur de lui-même.

Alors, petit à petit, cet autre pourra prendre confiance en lui-même et prendre soin de lui.

Prendre soin de l'autre, c'est devenir conscient des pensées, des souvenirs qui m'habitent et des émotions que je ressens par rapport à l'autre.

- Qui me rappelle-t-il ?
- Quels ressentis m'habitent quand je prends soin de lui ?
- Quels souvenirs liés à mon expérience cette personne évoque-t-elle en moi ?

Il existe un danger toujours présent lorsqu'on désire « prendre soin de l'autre » c'est de poser sur lui ce qui appartient au passé, à l'histoire, plutôt que d'être avec lui ici et maintenant dans l'aujourd'hui où tout peut être différent, car chaque jour est une opportunité de commencer un nouveau chemin.

Lâcher prise de toute attente, consentir à l'impuissance

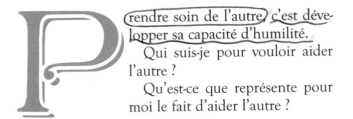

Prendre soin de l'autre, c'est développer sa capacité d'humilité.

Qui suis-je pour vouloir aider l'autre ?

Qu'est-ce que représente pour moi le fait d'aider l'autre ?

Prendre soin de l'autre, c'est être concerné par lui, c'est l'accompagner, partager un bout de chemin avec lui.

C'est renoncer à avoir des projets sur lui ou pour lui. C'est accepter qu'il veuille refuser mon aide et ma présence. C'est surtout éviter d'avoir des attentes à son égard.

« Après tout ce que j'ai fait pour toi... »

Prendre soin de l'autre, c'est apprendre à ne rien attendre, c'est trouver sa récompense dans le privilège d'être là, avec l'autre.

L'autre est toujours une énigme. Rien ne peut éclairer complètement cette dimension mystérieuse de la personne.

Prendre soin de l'autre ce n'est jamais s'emparer de lui et de son intimité, ce n'est jamais l'annexer à notre projet, l'expulser de son espace ou le manipuler.

Prendre soin de soi pour mieux prendre soin de l'autre, cheminer sur la voie du coquelicot, c'est encore voir au-delà du visible.

Au-delà de ce que le regard peut considérer, il y a l'invisible. L'Être, la dimension « divine » à l'intérieur de chaque personne.

La vraie rencontre, la vraie relation entre deux êtres, se passe au niveau du cœur. Comme le signifient si bien les Indiens lorsqu'ils se saluent avec le mot Namaste, qui veut dire à peu près : « Lorsque la partie divine en moi est en relation avec la partie divine en toi, alors nous sommes un. »

Plus j'approche l'autre à partir de mon cœur, de mon centre, de mon Être, plus j'entre en relation avec son centre, avec son Être, avec la Présence mystérieuse qui l'habite. Alors nous pouvons nous rencontrer.

Au-delà de ce qu'est l'autre, au-delà de ce que je suis, il existe en chaque être humain ce « noyau infracassable » de divin, qui ne demande qu'à s'ouvrir et à croître lorsque l'amour et la compassion d'un autre humain lui rappelle tout ce qu'il peut devenir.

Marcher et inviter à la marche en avant

rendre soin de l'autre et prendre soin de soi, c'est se souvenir que jamais l'on n'est arrivé, que la vie est un chemin à parcourir, que le bonheur n'est pas un lieu où l'on se rend, mais une manière de voyager.

Parmi les dangers de ce voyage, le plus grand est de vouloir faire durer ce qui n'est pas fait pour durer, de vouloir s'arrêter, de croire que l'on est arrivé !

Or, on n'est jamais arrivé, il y a toujours une nouvelle étape, quelqu'un ou quelque chose à quitter pour avancer.

La vie est un lent et long processus de désencombrement, douloureux parfois.

Lorsqu'on accompagne quelqu'un lors d'une ou plusieurs étapes de ce processus, l'essentiel est de lui offrir une écoute chaleureuse et une présence aimante, de marcher à ses côtés sans juger, sans « vouloir pour lui », en sachant que c'est en marchant que se crée le chemin.

Croire
et inviter à croire

rendre soin de soi pour prendre soin des autres, c'est croire en soi, en l'autre et au Tout Autre.

Croire en soi, tout d'abord, croire que ce qu'on peut offrir à l'autre a de la valeur, croire que l'on peut faire une différence, croire que la vie a un sens et qu'aucun acte n'est vain lorsqu'il est posé dans l'amour et la compassion.

Croire en l'autre, aussi.

L'autre est habité par cette Présence mystérieuse qui lui confère sa dignité d'être humain.

L'autre est relié à moi, il est de la même « famille » humaine.

« Nul homme n'est une île, ne demande pas pour qui sonne le glas, il sonne pour toi ! » écrivait le poète John Donne.

Croire en la Vie, en Celui qui l'a donnée peut-être, croire en l'Amour, même lorsqu'il semble totalement absent.

Espérer

**P**rendre soin de soi, prendre soin des autres, c'est offrir un espace à ce qui peut advenir, c'est faire une place pour l'inattendu, c'est être ouvert au miracle.

« Ils l'ont fait parce qu'ils ne savaient pas que c'était impossible ! » écrivait un auteur inconnu.

Le doute enferme, l'espérance ouvre, accueille, rend possible.

L'espérance permet l'attente, elle permet de voir la petite pousse là où l'on n'attend pas de croissance.

L'espérance est essentielle pour grandir et soutenir la croissance de l'autre.

L'espérance peut inviter, soutenir, appeler à la vie.

Développer la compassion

rendre soin de soi, prendre soin de l'autre, c'est accueillir sans juger, sans blâmer, sans mettre d'étiquette, c'est pouvoir écouter sans angoisse l'angoisse de l'autre, c'est lui offrir l'immense espace de notre cœur pour y déposer son fardeau et permettre à la Grâce de transformer sa souffrance sans chercher à solutionner, à modifier, à conseiller ou à porter le fardeau à sa place.

C'est accepter d'être touché, interpellé par la souffrance de l'autre et simplement accueillir ce qu'il partage dans le respect, la bienveillance et l'espérance.

Il y a tant de souffrances qui ne peuvent pas être soulagées par l'intervention pratique d'un autre !

Elles peuvent être diminuées pourtant lorsqu'elles sont simplement partagées, déposées, écoutées sans jugement, dans l'acceptation inconditionnelle de celui ou celle qui les vit.

Pratiquer l'humilité

'humilité permet d'approcher l'autre dans l'ouverture du cœur, sans aucune arrogance, en ayant accepté sa différence, en ayant accepté qu'il ne marche pas « au son du même tambour que moi », comme l'écrit le poète.

La pratique de l'humilité permet de renoncer à tout expliquer, à tout catégoriser, à tout prévoir et contrôler.

L'humilité n'est pas naïve mais bien plutôt « ouverture » à la dimension du Mystère.

Savoir se ressourcer

’est savoir prendre du recul pour mieux discerner la route à parcourir.

C'est savoir lâcher prise, déposer les fardeaux qui alourdissent la marche.

C'est abandonner la volonté d'avoir raison en acceptant le fait que d'autres peuvent mieux que nous parfois.

C'est prendre le temps de se recentrer pour devenir un, pour être cohérent, paisible et serein.

Prendre soin de soi pour être attentif à l'autre

ccompagner l'autre, c'est tout d'abord prendre soin de soi pour pouvoir être attentif à l'autre.

C'est accepter de ne jamais « posséder la vérité », c'est être en recherche, c'est pouvoir se remettre en question, c'est oser aller de l'avant en se souvenant qu'il n'y a pas d'erreurs, qu'il n'y a que des expériences d'apprentissage.

C'est avancer en se faisant confiance. Et surtout en faisant confiance à cette Présence qui habite tous ceux qui cheminent sur cette terre, qu'ils décident ou non de la reconnaître en eux.

En guise de conclusion...

e vrai pouvoir n'est pas un pouvoir sur les autres, cela n'a rien à voir avec le contrôle ou la manipulation. C'est une qualité intérieure qui inclut la sensibilité, la tendresse et la compassion pour nous-mêmes et ceux qui nous entourent.

« Accueillir le monde comme un don qu'on reçoit tous ensemble et non comme une proie qu'on s'arrache.
Accueillir la vie avec un cœur d'enfant, une confiance spontanée, une capacité inlassable de toujours recommencer, une foi paisible en l'avenir. »

Hervé de Bellefon

« Parfois nous érigeons des murs autour de nous,
non pas pour empêcher les autres de nous rejoindre,
mais pour voir qui sont ceux qui nous aiment
assez pour les abattre. »

Auteur inconnu

« Nous sommes tous invités
au banquet de la Vie.
Chacun pour y jouer son air,
ses quelques notes,
et quand l'heure sera venue
et que le maître de maison annoncera
que la fête est finie,
il n'y aura qu'à se lever,
qu'à s'incliner et à s'éloigner. »

Rabindranath Tagore

Du même auteur

La vie est une fête
à célébrer tous les jours !

Petites fleurs du cœur
pour grandir au fil des jours
Rosette Poletti & Barbara Dobbs
Nouvelle édition augmentée de *Des pensées pour grandir* paru en 1993.

Anthologie de textes de toutes provenances, ce livre vous invite à trouver votre vérité, à la partager avec ceux qui vous entourent et vous accompagnent. Réflexion, tendresse et confiance sont les trois mots-clés qui sous-tendent ce recueil de textes spécialement choisis par les auteurs, qui vous donnent ainsi à lire leur vision optimiste de la vie !

128 pages • Prix : 9,90 € / 17 CHF

Le livre antidote pour traverser les grands bouleversements de la vie!

Comment se dire adieu...
Rupture, séparation et deuil
Rosette Poletti & Barbara Dobbs
Photographies Pierre Poletti

Ce précieux livre est un cadeau merveilleux pour toutes celles et tous ceux qui connaissent une transition de vie éprouvante. Il vient en aide pour accompagner toute personne en souffrance ou en difficulté, répondant à de nombreuses questions de circonstance, apportant soulagement avec des mots justes, constructifs et chaleureux.

128 pages • Prix : 9,90 € / 17 CHF

Imprimé en Espagne

Dépôt légal mai 2010

Ce livre a été imprimé par Rivadeneyra S.A.
qui possède des certifications qui garantissent autant l'application
des règles environnementales et du traitement
des déchets (ISO 14001), que la sauvegarde de la chaîne
de contrôle, par l'utilisation de papiers issus
de forêts exploitées en gestion durable.